KB171574

너를 사랑하는 이유

발 행 | 2024년 03월 05일
저 자 | 강신웅(꺄셰)
펴낸이 | 한건희
펴낸곳 | 주식회사 부크크
출판사등록 | 2014.07.15.(제2014-16호)
주 소 | 서울특별시 금천구 가산디지털1로 119 SK트윈타워 A동 305호
전 화 | 1670-8316
이메일 | info@bookk.co.kr

ISBN | 979-11-410-7509-5

www.bookk.co.kr

너를 사랑하는 이유

꺄세 지음

차례

사랑, 슬픔, 이별, 꿈을 주제로 쓴 <너를 사랑하는 이유>
에 담긴 모든 시에는 특별한 의미가 담겨있다.

사람마다 주어진 상황과 환경에 따라 시의 해석은 달라
질 수 있다. 작가의 의도와 다른 해석을 했다고 틀린
것은 아니다. 정답은 없다.

주변의 사랑하는 사람들과 끈끈하게 이어져 살아가기를 소망하며
시를 노래했다. 시의 한 구절, 특정한 단어를 읽으며 누군가가 떠오
른다면 바로 연락해보기를 바란다.

새로운 인연을 만들고, 복잡하고 힘든 일상에서의 달콤한 순간을
마주하길 기대하며 모든 사랑하는 사람들에게 이 시집을 바친다.

사랑 하나

반짝이는 하늘의 별처럼
내 안에 빛나는 너를
꽃 필 무렵 떠오른
설레는 마음을

- 너를 사랑하는 이유 -

정원

그늘로 어루만지는
깊은 한숨

새어든 달빛 속
맑은 웃음

짙은 안갯속
눈 맞춤

당신의
라임 오렌지나무

소중한
행복한 잔상만이

상사화

봄바람에
날아가고
빈자리엔
꽃이하나

훨훨날아
하염없이
꽃잎찾아
당신찾아

우산

문득 길을 걷다 떠올린 너와
함께 비를 맞던 그날의 우산 속

다시 비가 오는 여름밤 아래
우연히 만나 인사를 했어

비가와서 네가와서 함께 맞는 비라서
보고파서 그리워서 그냥 그게 너라서

두 손을 마주 잡고 꽃비 맞으며
바람도 우릴 축복해주고 있어

불러보는 너의 이름 세 글자
들려오는 노랫말에 사랑이 보여

멀리 있어도 곁에 있는 것만 같아
다시 보고싶어 너를 불러본다

연

넓은 당신의 등에 기대
학교를 다녔고
바람 부는 날엔
연을 잡아주셨다
어느새 하얀 눈이 내린
머리칼엔 노을빛이
자전거 바퀴마저
하얗게 물들었다
흐른 세월에
작아진 뒷모습
아스라이 떠오른
어린 시절의
세발자전거

꽃잎점

꽃잎 하나에 사랑과

꽃잎 하나에 청춘과

꽃잎 하나에 추억과

꽃잎 하나에 행복

꽃잎 하나가 떨어져도

한결같은 내 마음

너를 사랑하는 이유

봄이 다가오는 것처럼
봄과 이별하는 순간에도
사랑하는 마음은 변함없기에
너를 여름만큼 다시 사랑했다

어느 곳에서나
온통 너로 뒤덮여
앞이 보이지 않아도
너를 뒤 없이 사랑했다

활짝 핀 꽃의 웃음처럼
눈부신 너의 미소를
바라보고 있노라면
세상이 두렵지 않았다

반짝이는 하늘의 별처럼
내 안에 빛나는 너를
꽃 필 무렵 떠오른
설레는 마음을

사랑 둘

그런 사랑이라도
만날 수 있기에
12시 정각이 될 때면
매번 설레었나 보다

- 애시계 -

순수한 소년의 고백

가고 싶은 곳
먹고 싶은 것
다 줄 수는 없어도

같이 있어서
편해서
네가 좋다

가끔 미워도
돌아서면
그 뿐

오늘도 널
더 알아가려
전화를 건다

아직도 널
다 알지 못해
나를 너로 채운다

초월

달을 바라보는

나를 바라보는

너를 바라보는

우릴 바라보는

너에게 가는 길

이제야 돌아보는 너
이곳에 서서 너만 부를게
사랑한다고
지금 어디야
네 옆에 있어 곁에서
다가오는 너

우리를 비추는 이곳은
사랑을 노래하는 무대
불러볼게
함께 가자
리듬을 타고 하나가 되는
세상으로 가자

사랑한다고 보고 싶다고
너를 다시 불러볼게
우리 가자
무슨 일이야
행복해서 지금 이 순간
웃고 있는 너

세상의 중심에 서서
우리가 여기 있다고
크게 외칠게
같이 가자
사랑을 타고 우리만의
세상으로 떠나자

나에게 당신이란

나에게 만남이란
우연히 다가온
순간의 봄기운을
운명이라 느끼는 것이오

나에게 설렘이란
당신을 만나기 전
당신에게 줄 꽃을
고르는 순간이오

나에게 사랑이란
계절의 변화에도
변하지 않는
내 마음이오

나에게 당신이란
어떤 순간이라도
반드시 지켜낼
소중한 보물이오

소나기

아름다운 꽃들 사이로
그녀를 보았다

개울을 건너는
그녀를 따라 걸었다

소나기 내리던
외딴 정자 안에서

나란히 걷던 개울가
생각에 미소가 번진다

애시계

시침과 분침은 만날 수 없다
라고 말하는 사람이 있었다
잠시 스쳐가기에 그랬나 보다
그런 사랑이라도
만날 수 있기에
12시 정각이 될 때면
매번 설레었나 보다

사랑 셋

바람에게 물었다
왜 꽃을 좋아하니
나는 네가
꽃이라서 좋아

- 바람의 여행 -

향유

천하를 손에 쥐어
백발이 다 되었네
자신을 버리시며
평화를 구하시고
흰 눈의 끝에서
행복을 찾았네
검은 꼬리
아홉이 모였으니
어찌 사랑이 아니라
할 수 있으랴

희망

비극의 순간에도
단념할 수 있는 것
죽음도 피할 수 있는
지금 여기
마지막 순간
당신이 있기에

첫사랑

눈에 가득 들어온 소녀
머릿속을 어지럽히고
동그란 눈을 볼때면
미소를 숨길 수 없네

멀리 보이는 아저씨
나만 보면 웃네
바라보기만 해도
행복한 아이가 되네

정

시간은 흐르고 흘러
주름진 당신의 이마

열은 미소 속엔
슬픔이 흘러

정겨운 세월은
모두 떠났지만
내 모든 걸
드리리

분홍 사자

넓은 평야 거느리는
왕이시여
앙칼진 가면 속
숨은 내면
가족들 지켜내려
사냥을 나서고
깊은 밤하늘 아래
홀로 울부짖네

바람의 여행

꽃의 미소를 본
바람은 행복했다
꽃의 속삭임에
바람은 웃었다

바람에게 물었다
왜 꽃을 좋아하니
나는 네가
꽃이라서 좋아

꽃을 사랑한
바람은 다짐했다
지켜주겠노라
세상 끝나는 날까지

사랑 넷

작은 피난처 같은 존재
그런 사랑

- 잠 못 드는 밤 -

예쁘다

동생 같지 않은
귀여운 모습이

나를 부르는
너의 입술이

잘 보이려 입은
단정한 옷이

사랑한다는 말보단
지금 너는

중력

N극
불어내는 숨결

당기시오
나에게 눌어붙도록

S극
들이마시는 숨결

미시오
문을 열고 다가가도록

해바라기

한걸음만
나에게 다가와줘
여기 항상
내가 있어

너일까봐
오늘도 너만을
떠올리며
기다리고 있어

우리 나란히
걷던 날들을
햇살마저도
반겨주는데

들리니 네게
하고 싶던 말
내게 와줘서
정말 고마워

영원히

길 잃어 세상을 헤맬 때
눈앞에 당신이 보였고
당신과 함께한 날들은
여덟의 추억이 되었소

어둡고 기나긴 터널을
추억으로 헤쳐나가겠소
당신의 손을 놓지 않고
고결한 인생을 살겠소

세차게 불어오는 바람도
당신만 있다면 두렵지 않아

별들이 보내는 환호성
당신의 나만의 주인공
이생의 절반을 함께할
당신의 나만의 장미

병아리

응애
배가 고파요
다리를 내어주자
울음을 그친 아이

응애
배가 고파요
팔을 내어주자
해맑게 웃는 아이

엄마가 된 병아리는
후회했다
걷지도 뛰지도 못하는
엄마를 품에 안은채

잠 못 드는 밤

세월이 흘러도
두 눈을 바라보며

마주 잡은 손을
놓을 수 없고

그날의 우리는
그렇게 서로를 믿고

어느 한쪽으로도
치우치지 않은

작은 피난처 같은 존재
그런 사랑

사랑 다섯

나란히 걸어간 길에
남겨진 발자국을
부끄러운 듯
붉은 달이 비춘다

- 홍월 -

지나간다

둥지를 떠난 아기새의
어설픈 날갯짓

넘어진 아기새는
혼자가 되었네

호수에 떠오른
엄마 얼굴

사랑하는 것을 사랑하고
멀리하는 것을 멀리해야지

밝게 빛나는 달님과
슬피 우는 아기새

소원

다시 만나게 될거야
구름 위 성에서
눈물 닦아주던
따스한 온기도

꿈속이라도
마법처럼 너를
다시 만나게 될거야
구름 위 성에서

내꺼니까

나는 아주 작은 먼지
너를 따라다니지

난 너만의 먼지
절대 떨어질 수 없지

훅 불면 날아갈까봐
소중하게 다뤄주네

또 휙 하고 사라질까봐
이름을 불러주네

나에겐 너 하나뿐야
비록 작은 먼지지만

넌 나만의 우주니까
영원히 내꺼니까

함박 사랑

달을 한입 베어물었더니
입안 가득 사랑이 가득하다
흐뭇한 당신의 표정엔 행복만이

어디에나 있는
사랑이 아니었구나
어디에도 없던 사랑이구나

숨

깊이 들이마신다
가득 들어온 찬 공기

길게 내쉰다
가늠할 수없이 뜨겁다

슬픔 속에서 뭉쳤고
행복 속에서 웃었다

함께한 이곳엔
흔적이 남았다

잔상을 따라가니
무지갯빛 하늘 위
힘찬 날갯짓이 보였다

홍월

하늘에 떠오른
둥근 마음이
너에게도 보일까

깊어가는 밤에
커져가는 마음에
달은 유난히도 밝고

나란히 걸어간 길에
남겨진 발자국을
부끄러운 듯
붉은 달이 비춘다

사랑 여섯

너는 나에게
선물이었다

- 너라는 선물 -

사랑은 교집합

마음의 경계가
맞닿은 곳에는
충돌이 생긴다
다가갈까 멀어질까
감정이 요동치고
혹여나 다칠까
움츠리기도 한다
가끔은 손을
내밀어보기도 한다
완전히 멀어지면
떠나기도 한다

우주여행

평행선에 스친 작은 불꽃
운명이었다

다가온 영원에
존재의 소중함은 달고

미지의 공간 속 둘은
마치 은하수의 만남이었다

마지막 사랑

사랑은 가고
밤이 찾아 오네
오랜 시간 함께한
오 내 사랑 나의 꿈

그대가 멀리 있어도
추억만 남아
좁은 방 안에서
그래서 그랬어

마지막 나에게
선물해주었던
작은 사진 하나가
남아있는데

오 내 사랑 나의 꿈
다시 한번 찾아와주길

맹꽁이 두마리

작은 웅덩이에
사라진 집 찾아
자꾸 울어댄다
무엥 무엥

아기는
엄마가 보고 싶어
혼자 울어댄다
꾸엥 꾸엥

여우비

비오는 땅
밟히는 그림자
하루 또 하루
지나가고
이루어질 수 없는
그 사랑에
바보는 노래하네

너라는 선물

내게 오는 너도
오지 않는 너도
선물이었다

자유와 관계의
반비례성 안에서
순간 반짝였다

너는 나에게
그저 선물이었다

사랑 일곱

하얀 눈이 내리고
세상이 온통 너로 물들 때
눈이 오는 것처럼
네가 내게 온다면

- 눈이 오는 것처럼 -

사랑에 정답이 있나요

한 여자가 웃고 있어요
그 남자는 여자의
미소를 못 보네요

한 남자가 그녀를 보네요
그 여자는 남자의
사랑을 못 보네요

가까워도 먼 그대
멀어도 가까운 그대와
사랑할 수 있을까요

사랑에 빠지는 순간

너와 함께 걷던 거리
추억 속 필름 위에서

서로를 바라보던
벚꽃 바람 불던 날

문득 설레는 순간
너의 손을 잡고

달려가다 달려가다
사랑에 빠져 버렸어

짝사랑

멀리 떠난다는 그 사람
하여 그리도 매정했었나
우리의 마지막 그곳에서
하염없이 기다리네

함박눈 내리는 밤
하늘에 떠오르는 너
눈물이 맺히는
그 순간을 기억하네

오색 자음

작대기 세 개에 담긴
그 뜻은 각양각색

손끝에 닿은 순간
이야기가 시작된다

시시콜콜한 농담을
비웃어준다

밋밋해진 말에
웃음기를 넣어준다

친하지도 않은
너와의 대화를 대신한다

하나의 자음을 가득 채우면
그냥 박장대소

눈이 오는 것처럼

하얀 눈이 내려와
세상이 온통 너로 물들 때
눈이 오는 것처럼
네가 내게 온다면

이미 내 마음속은
눈으로 가득 찼는데
하얀 내 심장은
너를 향해 뛰네

따스한 햇살에 마음이 녹아도
떠난 자리엔 눈사람만이

하얀 눈이 내려와
세상이 온통 너로 물들 때
눈이 오는 것처럼
네가 내게 온다면

다시 눈이 내린다면

슬픔 하나

수면이 바람에 날릴 때
흔들리는 마음이야
평온할 수 있을까

- 윤슬 -

개똥벌레

땅속을 사랑한 개똥벌레
몸은 검지만 마음은 붉지

정상을 향한 인내심에
예쁜 마음 지켜주는
반딧불이 친구

친구와 함께 했던
노란빛 축제
다음 생에는
꽃으로 태어나리

파노라마

부서지는 햇살
빠져드는 순간

눈을 감고 떠올리는
어린 날의 추억

하늘을 바라보다
친구를 바라보다

찰나를 만난 순간
영원을 바라는 붉은 꽃이

꿈에서 깨어
빛을 잃는다

마지막 순간

호숫가에 비친
영혼 없는 눈빛이
점점 흐려진다

하얀 그림자
어디로 가고
남은 건 호수뿐

무상

듣성듣성
검은 흙터
빛이 없는
회색 표정
피폐해진
흙더미 위
고요한 아우성

윤슬

수면이 바람에 날릴 때
흔들리는 마음이야
평온할 수 있을까

시작을 위한 준비도
막연한 떨림도

사람은 누구나
잔잔함을 꿈꾸니

슬픔 둘

활짝 피었던 꽃이 질 때를 알 듯
활짝 핀 사람은 떠날 때를 안다

- 두 얼굴의 꽃 -

늪

고독의 늪에서
허우적거리는 외톨이가
쓸쓸하게 촛불을 불어본다

거울에 비친 모습에
입꼬리를 살짝 올린다
그래도 웃는 상이다

어두운 배경은
다시 바다 위의 달
밝은 달이 되었다

7월

앙상한 나뭇가지에 매달려
축 늘어진 시계

어두운 까마귀가
매섭게 쪼아댄다

죽음의 살인미소
그리고 입맞춤

마치 시곗바늘이
날아와 찌르는 것 같다

말하는 고양이

말하는 고양이
슬퍼하는 로봇
모자 쓴 돌고래
뒤로 가는 자전거
쏟아지는 붉은 비
한여름에 내리는 눈

하늘이 땅인지
땅이 하늘인지
뒤집힌 세상을
걸어가는 사람들

하울링

깊은 울음소리
도드라진 핏줄

하늘이 열리고
빛이 내려온다

참을 수 없는 고통에
울부짖는 밤

두 얼굴의 꽃

활짝 피었던 꽃이 질 때를 알 듯
활짝 핀 사람은 떠날 때를 안다

시들었던 꽃이 영원히 머물 듯
시든 사람은 떠날 줄을 모른다

슬픔 셋

서서히 소멸한

찬란한 젊은 시절이여

안녕

- 비상 -

운명

잿빛 공기
무너진 마음

남은 가죽도
마음 속 파도도

맑은 하늘로
돌아갈 수 없는

연탄

뜨겁게 타들어가던 겨울
어찌나 치열했던지

이듬해 여름
바닥에 버려진 연탄

외투도 없이
덩그러니 바닥에

폭탄

심지와 불꽃의
아슬한 줄다리기

소용돌이에서
벗어나려 애쓴다

발버둥치고
달려봤지만

이미
잡아먹힌 뒤였다

홍사

비상하는 황룡의 무게를 견디고
죽마고우를 둔 채 용상에 앉았다

당신들 향한 깊은 마음
알지 못함에 노여워하네

끊어지지 않는 붉은 실을
백성들은 끊으려 하고

울부짖는 그대들의 뒷모습에
땀에 젖은 용포가 비치네

비상

화염을 둘러싼 용의 승천
영혼을 위한 진혼곡
검붉은 화로에 뉘어
서서히 소멸한
찬란한 젊은 시절이여
안녕

이별 하나

당신이 떠난 자리엔
꽃이 한 송이 폈습니다

당신과 함께한 시간을 담은 만큼
크고 아름답게 폈습니다

- 이름 모를 꽃 -

순애보

문이 닫히고
어둠 속으로 사라져
당신을 구하리라 구하리라
달리고 또 달렸소

삶과 죽음을 잊은 채로
그대를 사랑하였소
이토록 순수한 사랑이
어찌 사랑이 아니겠소

사랑은 이렇게
멀어지고 아프고
보고싶고 원해도
떠나버리는 것

그저 달빛처럼
내곁으로 와주오
가끔 내려와
나에게 와주오

사계절

시린 겨울
고된 바람을 견딘
얼음꽃이 녹아내렸다

남은 향기 속에서
이름만 공허히
되뇌었다

다시 찾아온
잊지 못할 이곳에서
떠나야만 했는가

뒤를 종종 따르던
꽃잎은 그저
슬피 운다

9월

나비는 꽃을 따라다녔다
한아름 품었다 흩어지고
한 송이가 남았다

비가 오고 꽃은 사라졌다
날개 잃은 나비는 슬픔에 빠졌다
아른거리는 그 꽃

이슬

한잔
턱 끝으로
한 방울이 툭

두잔
쓰라림에
찌푸린 눈

마지막
터져버린
울음

친구

너를 떠나보내던 그날 내게 말했지
남은 이들을 잘 부탁한다고

이별이란 단어가 이리 아픈 것이었나
미워도 미워할 수 없는 친구여

돌아오란 말은 꺼내지 못했고
그저 하늘로 날려 보냈다

이름 모를 꽃

당신이 떠난 자리엔
꽃이 한 송이 폈습니다

당신과 함께한 시간을 담은 만큼
크고 아름답게 폈습니다

꽃을 보고 스쳐 지나가는
사람들 사이로 나는 서 있습니다

꽃잎이 볼을 타고 흐르면
가만히 눈을 감습니다

뼈가 아리게 눈물이 흐를 때면
당신 곁에서 하루를 보냅니다

사무치게 그리운 날에는
당신을 불러보겠습니다

이별 둘

당신에게 줄 작은 꽃 하나
당신 곁으로 갈 꽃 하나

- 늙은 꽃 -

마지막 잎새

가져가세요
당신에게 주었던
내 모든 것과 함께
남은 숨결마저

쓸어가세요
세상의 모든 곳에
슬픔이 지나
남은 잿더미마저

떠나가세요
마지막 온기도
차갑게 굳은 마음처럼
얼음이 되었으니

사라지세요
아무리 소리쳐도
곁에는 남은이 없어
메아리만 울리니

용서하세요
이런 결말로
깊어가는 밤하늘에게
위로받을 수 있으니

가을

찬바람 부는
어느날 툭
넘어지고 말았다

너와 눈이 마주친 순간
나는 얼어붙었다

마치 액자 속 사진처럼
나는 움직일 수 없었다

달 아래서

토끼 두 마리가
아름다운 이별을 만나
내리던 꽃비도
그림자 속에 숨는다

고요한 밤 달 아래서
둘의 떠나가는 모습에
꽃길을 비추던 달도
눈물을 훔친다

회상

늘 함께였지만
남은건 추억뿐

돌처럼 굳어버린
너의 손을 잡고

가지마 가지마
아무리 외쳐도

찾을 수 없는
온기 대신

떠난 너의 생각으로
가득 채운다

새 무지개가 뜬 여름을
다시 너로 살아본다

백합

날 불러주는 입술
아직도 생생한 목소리

머릴 쓰다듬어주는
손길을 잊을 수 없어

점점 멀어져가고
서서히 잊혀지고

이젠 불러봐도
돌아오지 않는 너

늙은 꽃

별이 나를 내리비출 때
추억이 내려와 흠뻑 젖을 때

꽃이 있던 자리엔
작은 구멍이 하나

당신에게 줄 작은 꽃 하나
당신 곁으로 갈 꽃 하나

답가

이곳 별 바다는
퍽 서늘하오

당신이 오기에
아직 아득히 멀어

당신 곁에 머물겠소
여유 속에 사시오

이별 셋

꽃은 지고
별이 되었어요

- 낙화 -

가질 수 없는 사랑

내 것이 아니었더라
닿을 수도 없이
갈망했을뿐
어둠 속에서
손을 뻗어도 닿지 않는
잃어버린 내 사랑
텅 빈 공간 속
자신을 내어놓은
자신을 탓할 뿐
빠져나올 수 없는

백야행

밤길을 걷는 남자가
빨갛게 물든 웅덩이를 보았다

물에 비친 장면은
이별을 말하던 그녀의 모습

웅덩이 옆을 지나는
무표정의 하얀 그림자

코스모스

방문을 열고 나서면
마주치는 겨울 공기
깊은 밤 코 끝에 스친
하얀 눈이 내려요

하늘에 두고온 별
방 안에 둔 작은 별
생각이나 돌아서 달려요

멀리서 보이는 나의 우주
품속에 안는 나의 모든 것

물들다

가을밤 꽃잎이 물들 때
호숫가에 붉게 비치고

지평선 너머 노을이
우리를 가득 비출 때

당신이 없는 별빛들은
깊은 밤을 지키고

가로등 불빛은
밤새 나를 지키네

4월

하얀 벽
무성히 솟아난 난초

아우성치며
가슴에 날아와 꽂힌다

푸른 하늘
쏟아지는 소나기가

모든 것을
앗아갔지만

갈대밭 하늘은
그대로였다

운수 좋은 날

완벽한 하루를 보낸다면
받아들일 것이오
아쉬운 하루를 보낸다면
구천을 떠돌 것이다

나는 내일 죽는다
떠나는 순간
미소 지으며 갈 수 있는
그런 하루를 보낼 수 있길

낙화

당신을 불러도 이제
그립지 않아요
그 자리엔
꽃도 없어요
가끔 생각나
추억에 잠겨도
시간은 흐르더라고요
꽃은 지고
별이 되었어요

이별 넷

빛도 하나 없이
공기마저 적적하면
가면을 벗는다

\- 문 -

너라는 감옥

꿈에서도 너를 만나면
이렇게 행복한데
너를 떠올릴 때마다
이 길을 다시 걷곤 해

너에게서 벗어날 수 없어
춤추다 보면 모든 걸 잊어
너라는 감옥에 갇힌 걸까
다시 돌아갈 수 없는 걸까

너의 곁을 떠날 수 없어
너의 향기조차 영원한데
다시 사랑하고 싶은 걸까
이대로가 좋은 걸까

이렇게라도 곁에 있고 싶어
하루도 빠짐없이 보고 싶어
너와 함께 갈 수만 있다면
우리 영원할 수 있다면

그늘

보고 싶다는 말 한마디에
마음이 아파와
다 주지 못해서
항상 후회했다고

사랑한다는 말 한마디에
걱정하는 마음
이제야 보이는
당신의 손길들

헤어지는 꿈

나 그날을 기억해요
당신은 남고
나 하늘로 떠나던 날

슬피 우는 그대는
아직도 내 생각에
눈물을 흘리나요

황천

살아있어도 살아있지 않은
죽어도 잊을 수 없는
소중한 죽음
뒤바뀐 운명
찬란했던 마지막 순간

길을 잃은 아이처럼
날개 잃은 나비처럼
얼어붙은 표정과
빛을 잃은 소녀
이곳은 삶과 죽음의 교차점

창살

스미는 햇살을
손으로 가려도

손 틈 사이로
추억이 비치고

감은 두 눈엔
아는 듯 모르는 듯
행복만이

널 품었던
옷깃에 남은
향기는 떠나

꿈

나무 옆 민들레 한 송이와
바람 타고 떠나간 당신
어디로 갔나

나무 옆 가리비 껍데기 하나
파도 타고 훨훨
여행을 떠났나

문

세상은 넓으나
그림자 하나 없이
사람이 떠나고
사랑도 떠나도
빛도 하나 없이
공기마저 적적하면
가면을 벗는다
담배연기 자욱한
하루의 끝

이별 다섯

파도가 치고
멀어지고
네 생각이 치면
또 멀어지네

- 향해 -

나 홀로 이별

널 만났던 계절
애틋했던 표정
하나 잊을 수도 없이
사랑했던 추억

너와 사랑을 나눈
추억만 남아 이곳에서

서서히 멀어지는
너의 차가운 표정
잡을 수도 없이 커진
미운 감정까지도

다 알고 있었어
이렇게 될 거라는 걸
우리 이제 끝이라는 걸
다 잊을게

개미

공들인 행복의 탑은
한마디에 무너졌다

벗겨진 내면엔
비웃음만이 가득하고

미로 속에서
벗어나려는 노력에도

동굴 속 꽃들만
눈앞에 가득하다

난망

반갑다는 표현은
말보다 행동으로
하루 끝 달려오는
네가 있어 행복해

가벼운 상처도
말 못 할 이야기도
바라만 봐도 난
느낄 수 있어

너의 눈빛
너의 표정
떠나보내니
그리워지고

가슴 아프게도
따뜻했던 사랑은 가네

거리에서

아득히 멀어진 그림자
남은건 낙엽뿐

멍하니 앉아 손을 뻗으면
잡히는 건 너의 향기뿐

액자

봄을 그리며
너를 그리는 비양도

흐려진 밤도
사랑했던 추억도

별과 함께 떨어지는
사진 속 미소

양초

끝없이 불타
결국 사라진다

가끔은 장난스럽게
가끔은 진심을 다해

무서운 가면을 쓴
무표정의 가면을 쓴

고통에 몸부림치다
뜨겁게 달궈지다

불을 더욱 커지고
초는 무너진다

향해

넓은 바다 가운데
둥둥 떠가는
외로운 종이배

가라앉은 감정은
젖은 배가 되고

파도가 치고
멀어지고
네 생각이 치면
또 멀어지네

꿈 하나

변함없는 아저씨 모습에
흔들리는 내 마음만이
수레에 끌려간다

- 수레 끄는 아저씨 -

은하수

하나로 모인 별

모두가 같은 별

이별 없는 이 별

나란히 가는 별

은하수 되는 별

보랏빛 여행

흔들다리를 건너
여행을 떠나자

차가운듯 신비로운
여행을 떠나자

마음을 놓으니
비로소 보이는

나를 찾아 떠나는
보랏빛 여행

나를 그린다

뭉툭한 연필을 움직여본다
좋아하는 것을 그린다

고통으로 성장하는
나를 그린다

나를 그리며
나를 배운다

다시 눈을 감고
나를 그린다

장작

새로운 것을 부르는
고통스럽기도한

불은
모든 것의 시작이자 끝

만약 비가 내린다면
탄생하지 않았을까

나비야

크고 푸른 나비야
날갯짓이 아름다운 나비야

라일락 꽃밭에서
꿈을 꾸는 나비야

신비의 꽃밭에서
사랑에 빠진 나비야

하루를 꽃밭에서
지새우는 나비야

수레 끄는 아저씨

무표정의 검은색 야구모자
얇은 점퍼 입은 아저씨가
수레를 끌고간다

지난봄부터 겨울까지
항상 같은 자리를
드르륵드르륵
묵묵히 걸어간다

변함없는 아저씨 모습에
흔들리는 내 마음만이
수레에 끌려간다

꿈 둘

물 한 방울 떨어진 잎에게
말을 건네는 어린 소녀
넌 예쁜 물을 담고 있구나

- 담장이 -

청춘

두근거렸지
모든 걸 가진 이 기분
세상이 나를 주목하듯

하나 그곳에도
없는 것이 있었지
그것은 작은 꿈이었지

아, 방황하는 그림자
아, 비틀거리네

모르고 있었네
눈앞에 가득 펼쳐진
끝없는 오르막길

개천

변하지 않는 바퀴
핑그르르
돌아가네

밖으로 한 발
내디딜 용기에
밝아진 하늘

나를 가뒀던 건
우리였을까
나였을까

다람쥐는 다시
바퀴로 한 발
힘차게 내딛는다

장난

시선이
지나가는 사람들의
바짓단에 머문다

너의 눈에
나는 그저
장난감으로 보이겠지

겨우 버텨낸
뜨거웠던 여름날의 기억이
한순간의 장난으로 무너졌다

가을 바람을 타고
훨훨 날아가는
나의 희고 작은 우산털

민들레씨와
자유로움을 타고
함께 날아가고싶다

고래의 꿈

어둠 속에서 우연히
보았던 푸른빛내림

두려움을 주었던 벽이라도
포기보단 도전이지 난

꿈이라 생각했던 시간
이미 반이나 왔잖아

나는 날아오를거야
다시 뛰어넘을거야

날개를 달고
저 먼 곳까지

담장이

보잘것없는 작은 잎 하나
너 없어도 벽이 초라하진 않아
눈길도 없이 스쳐가잖아

물 한 방울 떨어진 잎에게
말을 건네는 어린 소녀
넌 예쁜 물을 담고 있구나

슬픔을 머금고
한결같이 매달려
한 송이 꽃이 피어나길 바라는

꿈 셋

작은 숲을 그리며
좁아지는 꿈의 폭으로
자신을 던지는 이유는

미래를 보는 눈만은
작지 않은 것을 알기에

- 작은 것들을 위한 시 -

일체유심조

마음이 검게 물들어
앞이 보이지 않아

뒤처진 개구리 같아
뛰지도 못하는구나

먼 곳이 보이지 않아도
한발 앞을 보면 될 것을

꿈꾸는 소년

다부진 손길로 쌓은
모래성 위로

바닷바람이
파도가 철썩

성은 무너져도
꿈은 그대로

성은 무너져도
남은 조각은 크기에

소년은 오늘도 꿈을 꾼다

부적

가려진 눈에도
행운이 비치고
작은 천이 깨운 영
잔잔한 마음 속
아이 같은 이상을 담고
끓어넘친 사기는
식을 줄을 모르네

명가

모든 걸 바쳤던
사랑하고 또 사랑했던
지난날들

하늘로 향하는 길은
나만이 아는 작은 길은
여전히 고요한데

자유를 원하던
나를 쫓던 개는
어디로 갔나

묘목이 나무에게

참새가 방앗간을 못지나쳐
그늘에 머물듯
당신의 그늘을 닮고자
곁을 서성입니다

바다의 파도가 그리워
해변에 머물듯
당신의 마음을 닮고자
우러러봅니다

넓은 그늘을 가진
넓은 마음을 가진
나무가 되기 위해
오늘도 다짐합니다

작은 것들을 위한 시

작아도 괜찮아
이곳의 공기도
그리 맑지는 않으니까

조금 먹어도 괜찮아
이미 충분한 사랑을
먹고 자라니까

작은 숲을 그리며
좁아지는 꿈의 폭으로
자신을 던지는 이유는

미래를 보는 눈만은
작지 않은 것을 알기에

꿈 넷

가끔은 느려도
멈추지 않길

- 숲길 버스 -

노란 진주

기댈 곳 없이
덩그러니 놓여

흙길을 따라가다
돌길을 따라가다

나의 의미를 찾는
선택의 기로

꺼진 불같은 길을
걸어가지 않으리

사랑했던 그날의 꽃을
쉽게 보내진 않으리

꽃밭

어린 시절 신었던
분홍신이
나에게 전부

언덕길이나
높은 산이나
늘 함께였다

어른이 되어
버려졌던
분홍신이

길을 밝혀주는
등불이 되어
빛나고 있다

느린 거북이

턱 끝까지
숨이 가득 차올라

앞에 있는 토끼 때문일까
뒤에 있는 나 때문일까

느려도 괜찮아
후회 없이 달렸으니까

벽

세상을 누비며
새로운 자아를 찾는
자유의 철학자

떠돌이 영혼이라
바람에 흔들리는 나무처럼
휘둘리지 않았을까

단단한 벽을 다시 세웠으니
무너지지 않으리라

두려움이란
상상 속 괴물이 만들었을 뿐

바닷가재

가녀린 몸
부서질까
집을 부순다
그제야 숨이 놓인다

보랏빛 밤
별들이 수 놓일 때
고개를 내민다
이제야 마음이 놓인다

숲길 버스

순수함을 좇는
어린 꿀벌아

종이를 접으며
걱정을 접고 있구나

새로움을 좇는
순백의 두루미야

가끔은 느려도
멈추지 않길

지금 당신은 사랑하고 있나요?